# À L'ABRI, DE L'OUBLI

## PETIT GUIDE DE CONSERVATION DES DOCUMENTS PERSONNELS ET FAMILIAUX

Bibliothèque et Archives nationales du Québec

une cour ... ... ...
où nous prenons quelques
repos! On a fait le Yucatan
une partie du Guatemala et ...
en 2 semaines; c'est-à-dire
bougé en masse! Mais c'est
on a vu des tonnes de pyramides,
la mer turquoise, plein de bibites
jungle, des cavernes, des cenotes
même fait de la plongée dans
! A part ça on a plus une
on fait ben dur ...! On par
pul ... mardi soir et on devrait ...
quelques jours. J'espère que

México
salut!

SALLE DU PLATEAU
es Festivals de Montréal

PIERRET
LEOPOL
WED · M

10

# TABLE DES MATIÈRES

# REFLETS DE VIE

Vous produisez ou recevez chaque jour des documents de toutes sortes : lettres, factures, relevés de compte, contrats, actes notariés, déclarations de revenus, etc. Il faut maintenant ajouter à cette liste les courriels, les vidéos et les photographies numériques. Ces documents reflètent vos activités personnelles et familiales et témoignent de vos études, de votre travail, de vos activités quotidiennes, de vos loisirs, de vos joies aussi bien que de vos peines. Ils sont uniques et précieux, et certains d'entre eux ont une valeur juridique ou financière constituant, dans certains cas, des preuves à l'appui de vos droits.

Au fil du temps, vous accumulez ces documents, souvent en désordre, jusqu'au moment où vous décidez de faire le ménage. Qui ne s'est pas demandé au moins une fois ce qu'il doit en faire ? Dois-je conserver mes déclarations de revenus et, si oui, combien de temps ? Est-ce important de garder les photos ? Si oui, comment et où dois-je les conserver ? Par ailleurs, la destruction de documents est un geste irréversible dont les conséquences peuvent être regrettables. Il importe donc de bien organiser et de classer vos documents de manière à les trouver facilement. Il est aussi nécessaire d'en assurer une conservation adéquate et de les garder dans un endroit sécuritaire. Après tout, l'histoire de votre vie est unique et les documents que vous avez produits ou accumulés en témoignent.

Si certains de vos documents méritent d'être rassemblés et conservés en vue de constituer vos archives personnelles et familiales, il est toutefois inutile, voire impossible, de les conserver tous sans distinction.

Nous avons conçu le présent guide rédigé par des archivistes de Bibliothèque et Archives nationales du Québec (BAnQ) afin de vous aider à classer et à protéger les documents les plus courants.

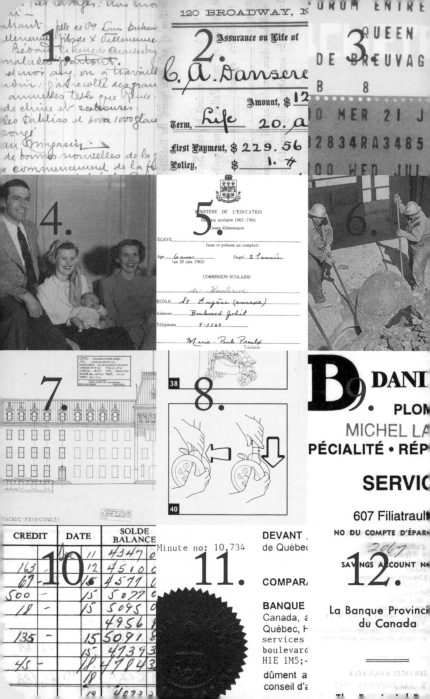

# CLASSEMENT ET DÉLAIS DE CONSERVATION

## LES DOCUMENTS PAPIER

Un système de classement vous permet de regrouper vos documents papier les plus courants selon un ordre défini et d'y accéder ainsi plus rapidement. Il est possible que vous ayez déjà un mode de classement qui réponde à ces critères et qui satisfasse vos besoins. Si c'est le cas, nous vous conseillons de le conserver. Dans le cas où vous ne possédez pas ce type d'outil, nous vous proposons un modèle de classement que vous pourrez adapter à votre situation personnelle ou familiale. Ce classement est simple et vous assure un regroupement cohérent et logique de vos documents papier.

Notre modèle suggère de subdiviser vos documents les plus courants en 12 thèmes.

1. Histoire et généalogie
2. État civil, citoyenneté et autres documents officiels
3. Loisirs, divertissements et voyages
4. Relations familiales et sociales
5. Études et perfectionnement
6. Emplois
7. Logement et biens immobiliers
8. Biens mobiliers
9. Services professionnels et entreprises de service
10. Revenus, épargne et placements
11. Prêts
12. Opérations bancaires

Une fois que vous aurez regroupé vos documents papier par thèmes, il sera plus facile d'observer les délais de conservation et de décider de détruire ou de conserver tel ou tel document. Ces délais sont déterminés par la valeur administrative, juridique ou financière et par l'intérêt de ces documents pour votre histoire personnelle et familiale.

Nous vous suggérons de revoir chaque année les documents produits ou reçus au cours des 12 derniers mois et d'appliquer les délais de conservation proposés dans le présent guide.

Nous vous recommandons également de procéder au classement périodique et assidu de vos documents afin d'éviter leur accumulation, une situation qui vous rendrait la tâche laborieuse, voire exaspérante.

## LES DOCUMENTS QUI NE SONT PAS SUR PAPIER

En raison de la variété des documents qui ne sont pas sur papier et des conditions de conservation qui leur sont spécifiques, nous vous proposons de les regrouper afin d'en faciliter le classement et la conservation. Cette méthode a l'avantage de favoriser l'application des précautions assurant leur conservation.

Les photographies que vous souhaitez conserver devraient ainsi être regroupées. Elles seront d'abord classées en ordre chronologique ou par thèmes et en prenant soin d'indiquer sur la chemise ou le contenant protecteur la date à laquelle la photographie a été prise, ainsi que les personnes et les événements photographiés. Toutefois, certaines mises en garde s'imposent ; elles sont présentées à la fin de ce guide, dans la section « Précautions ».

# DES DÉCISIONS PERSONNELLES

La conservation de certains documents exige une décision personnelle. C'est le cas par exemple des documents qui ont une importance particulière à vos yeux et qui sont susceptibles de témoigner d'événements marquants de votre vie. La lettre reçue de votre grand-mère pour votre 10e anniversaire de naissance revêt-elle une signification suffisamment importante pour que vous la conserviez ? Pour faire un choix éclairé, plusieurs facteurs peuvent être pris en considération. S'agit-il de la seule lettre reçue de votre grand-mère ou en possédez-vous plusieurs ? Contient-elle des renseignements significatifs sur votre grand-mère ou sur un événement qui lui est associé ? Les mêmes questions pourraient être posées à propos du DVD de votre mariage, des activités sportives de votre conjoint ou encore des photographies de vos voyages.

Les réponses à ces questions relèvent en grande partie de la subjectivité et de votre histoire personnelle et familiale. Dans un tel contexte, vous êtes la personne la mieux placée pour décider, par exemple, si les lettres de votre grand-mère doivent être conservées ou non.

## PICTOGRAMMES

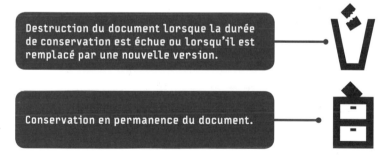

Destruction du document lorsque la durée de conservation est échue ou lorsqu'il est remplacé par une nouvelle version.

Conservation en permanence du document.

Avis : les durées de conservation proposées dans le présent guide sont basées sur la législation en vigueur à la date de sa parution. Elles peuvent donc devenir désuètes. Ces durées sont fournies uniquement à titre indicatif et ne doivent pas être citées ni considérées comme des renseignements ayant une valeur juridique.

oct 12
Suite de l'agriculture, a [...]
dit [...] avait obtenu deux
[...] granulé de la commu[...]
Vins du Canada — [...] les
de la province : [...] le sucre
Montréal, au comptoir de la
Co-opérative des fromagers de
qui est chargé de remplir les
des agriculteurs a # 10 [...] le 10
comptant. J'ai l'autorisat[...]
acheter 600 lb, et dans l'apr[...]
j'en fais la demande au
[...]61-63, Rue William, a Mont[...]
[...] pourrai [...] aider a me
[...]'il y a lieu.
La demande pour le miel.
Personne ne s'occupe du [...]
Dans l'ap-midi, on conti[...]
préparer une commande [...]
[...]

La maladie est a la mode
[...]X Chez mon père, [...], tout [...]
est malade, la boutique est [...]
Clotilde au magasin.

oct 13 Dimanche : peu de promene[...]
Vu l'épidémie ; des [...] [...]
Ma femme passe une part[...]
Chez [...]uteau qui est grave[...]
aujourd'hui : sa femme [...]

# 1. HISTOIRE et GÉNÉALOGIE

## DOSSIERS DE RECHERCHE
Conserver les résultats des recherches généalogiques sur vos ancêtres, les références à vos sources, les photocopies des actes en provenance de l'état civil, des greffes de notaires, des recensements, etc.

## JOURNAUX PERSONNELS ET AGENDAS
Conserver les journaux et les agendas témoignant de votre vie personnelle ou familiale.

PASSP

PASSEF

## 2. État civil, citoyenneté et AUTRES DOCUMENTS offici'els

### ACTES OU CERTIFICATS DE NAISSANCE, DE MARIAGE ET DE DÉCÈS

Conserver les actes ou certificats de naissance, de mariage et de décès pendant toute votre vie, même s'il est possible d'obtenir copie des documents auprès du Directeur de l'état civil du ministère de la Justice. Certaines institutions exigent une copie certifiée, datant de moins de six mois, des actes ou certificats.

### CONTRATS DE MARIAGE, CONTRATS D'UNION DE FAIT, RÈGLEMENTS DE DIVORCE

Conserver vos documents de mariage, d'union de fait ou de divorce pendant toute votre vie.

### PASSEPORTS, CERTIFICATS DE CITOYENNETÉ

Conserver vos passeports ou certificats de citoyenneté pendant toute votre vie.

## TESTAMENTS ET MANDATS D'INAPTITUDE

Conserver tout document relatif aux testaments ou mandats d'inaptitude pendant toute votre vie.

## CARNETS DE SANTÉ

Conserver vos carnets de santé en permanence, car ils renferment des renseignements sur vos antécédents médicaux.

## PERMIS DE CONDUIRE

Conserver votre permis de conduire aussi longtemps qu'il ne sera pas remplacé.

# carnet

# de santé

Ministère des
affaires sociales

Les violons du Roy présentent
## LA FAMILLE BACH
Chef invité - Roy Goodman
Soliste Richard Paré

Vendredi 08 mars 2002
20h
## Palais Montcalm
$28,00 +$0,00 =$2
ARTERRE     O     FAV.          TAXES
                  TPS:$0,00     TVQ:$
ENTRE     15
1640BAC0803 1119399 179   0 x2

---

GROUPE SPECTACLES GILLETT & HOB
présentent
## MÉTALLICA
Jeudi le 14 octobre 2004
19H30
## COLISÉE PEPSI
CAMÉRAS ET ENREGISTREUSES INTERDI
REG.     89.00 $    Frais Inclus

| Niveau | Rangee | Taxes Incluses |
|--------|--------|----------------|
| LOGE   | K      |                |
| Section | Siege |                |
| 18     | 10     |                |

A1103METI410 08141007I12 2669   8900 x15

---

Le Théâtre de la Bordée
présente
## GROS ET DÉTAIL
M.E.S  ÉRIKA GAGNON & KEVIN McCOY
Le vendredi 19 novembre 2004 - 20
315, rue Saint-Joseph Est, 694-963
Stationnement sous la bibliothèqu
Gabrielle-Roy

| Niveau | Rangee | 26.00 $+2.00 $=28. |
|--------|--------|--------------------|
| PARTERRE | G | RÉGULIER   Taxes |
| Section | Siege | TPS:1.70 $ TVQ:1.9 |
| PAIR | 2 | |

1056 01011 111015 96   2800 x1   *44+ 29

# 3. LOISIRS, DIVERTISSEMENTS et VOYAGES

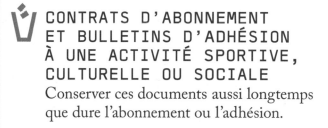

**CONTRATS D'ABONNEMENT ET BULLETINS D'ADHÉSION À UNE ACTIVITÉ SPORTIVE, CULTURELLE OU SOCIALE**
Conserver ces documents aussi longtemps que dure l'abonnement ou l'adhésion.

**DIVERTISSEMENTS ET VOYAGES**
Conserver en permanence les documents qui revêtent une importance particulière : itinéraires, réservations, billets de spectacles ou de musées, etc.

21

# FESTIVALS

## *Fête Popu*

# OÛT 1955 9 H

## CHALET DE LA MO

# NVITÉ D'H

# 4. RELATIONS FAMILIALES ET SOCIALES

## CORRESPONDANCES

Conserver uniquement les pièces de correspondance (lettres, courriels, télécopies) contenant un texte qui revêt une importance particulière à vos yeux.

## INVITATIONS ET REMERCIEMENTS

Conserver pendant toute votre vie les invitations et les remerciements signifiants : baptêmes, anniversaires, mariages, etc.

## AVIS DE DÉCÈS ET CARTES MORTUAIRES

Conserver pendant toute votre vie les avis de décès et les cartes mortuaires ayant, pour vous, une signification particulière.

## CARTES DE SOUHAITS

Conserver en permanence les cartes de souhaits contenant un texte ayant une valeur importante à vos yeux.

## BÉNÉVOLAT ET ENGAGEMENT COMMUNAUTAIRE

Conserver les documents relatifs à l'action communautaire les plus significatifs pour vous.

# DE LA PRESENT

*1er* TRIMESTRE

*3e* Classe        *14* Elèves

## BULLETI

DE

*Mademoiselle . Marguer*

| | | Très bien. Very good. | Bien. Good. |
|---|---|---|---|
| NOTES HEBDOMADAIRES | Conduite ..... | *16* | |
| | Politesse ..... | *13* | *3* |
| | Application.. | *14* | *2* |
| | Maintien...... | *2* | *14* |
| | Ordre......... | *15* | *1* |
| OUVRAGE MANUEL | Succès | *Très-bien* | |
| | Diligence | *idem* | |

## PLACES DES COMPOSITIO

| | |
|---|---|
| Instruction religieuse ....... | *1.1.* |
| Lecture ..... ................... | *1c.* |
| Calligraphie ..... ........... | *1.3c* |
| Récitation ...................... | *2c.* |
| Grammaire .................... | *5c.* |
| Orthographe .................. | *8c.* |
| Style épistolaire ............. | *2c.* |
| Analyse Grammaticale....... | |
| Analyse logique ........ ..... | *6c.* |
| Analyse littéraire ............. | *2c.* |

# 5. ÉTUDES ET PERFECTIONNEMENT

## TRAVAUX SCOLAIRES ET NOTES DE COURS

Conserver les travaux scolaires et les notes de cours les plus significatifs.

## DIPLÔMES ET CERTIFICATS D'ÉTUDES

Conserver pendant toute votre vie les diplômes et certificats d'études, même s'il vous est possible d'en obtenir copie auprès du ministère de l'Éducation, du Loisir et du Sport ou de l'établissement qui vous les a délivrés.

## RELEVÉS DE NOTES, ÉVALUATIONS ET BULLETINS SCOLAIRES

Conserver pendant toute votre vie vos documents scolaires.

## ACTIVITÉS PARASCOLAIRES

Conserver les documents qui ont une importance particulière à vos yeux et qui témoignent de votre rôle dans des activités parascolaires : la radio étudiante, le journal étudiant, le club d'échecs, etc.

## RELEVÉS DE PRÊTS ET DE BOURSES

Conserver vos relevés de prêts et de bourses aussi longtemps que le prêt n'est pas remboursé et que vous n'êtes pas libéré des engagements relatifs à la bourse.

## BOTTINS ET LIVRES DE FINISSANTS

Conserver les documents qui revêtent une importance particulière à vos yeux.

N° de demande
d'admission: 9432529

Code
permanent:

Date de
naissance: 73-01-18    Sexe: F

| | | Remarque | | Moyenne du groupe | | |
| --- | --- | --- | --- | --- | --- | --- |
| | Note sur 100 | | | | Session-année | |
| | Unités | | | | | Code |
| RAL I | 1,00 | 82 | | 80 | A-95 | 916000 |
| | 2,66 | 82 | | 52 | A-95 | 916000 |
| | 2,00 | 85 | | 72 | A-95 | 916000 |
| OCCIDENTA | 2,00 | 77 | | 67 | A-95 | 916000 |
| | 2,33 | 81 | | 68 | A-95 | 916000 |
| | 2,33 | 82 | | 66 | A-95 | 916000 |
| | 2,00 | 88 | | 76 | A-95 | 916000 |
| | 1,00 | 92 | | 85 | H-96 | 916000 |
| | 2,66 | 81 | | 70 | H-96 | 916000 |
| | 2,00 | 77 | | 65 | H-96 | 916000 |
| | 2,00 | 82 | | 67 | H-96 | 916000 |
| = | 2,00 | 83 | | 73 | H-96 | 916000 |
| | 2,00 | 80 | | 68 | H-96 | 916000 |
| | 2,33 | 82 | | 68 | H-96 | 916000 |
| | 2,00 | 91 | | 77 | H-96 | 916000 |
| | 2,00 | 89 | | 65 | A-96 | |
| | 2,00 | 87 | | 80 | A-96 | |
| | 1,33 | 88 | | 74 | A-96 | |
| ISTOIRE D | 2,00 | 89 | | 68 | A-96 | |
| | 1,66 | 88 | | 77 | A-96 | |
| ORDINATEU | 1,66 | 90 | | 74 | A-96 | |
| URE | 1,66 | 93 | | 76 | A-96 | |
| E NOTES | 2,00 | 78 | | 66 | A-96 | |

E NOTES ************************************

# 6. EMPLOIS

## CURRICULUM VITÆ ET DOCUMENTS CONNEXES

Conserver votre curriculum vitæ et les documents connexes aussi longtemps qu'ils ne seront pas remplacés par une version plus complète et plus récente.

## CONTRATS DE TRAVAIL

Conserver pendant toute la durée de l'emploi. Par la suite, conserver les contrats les plus importants à vos yeux.

## CARTES DE VISITE

Conserver les cartes de visite témoignant d'un changement de fonction ou d'employeur ou celles de tiers ayant une importance particulière à vos yeux.

## CONFÉRENCES ET DISCOURS

Conserver la version finale du texte prononcé.

## ASSOCIATIONS PROFESSIONNELLES ET CERTIFICATS HONORIFIQUES

Conserver les documents démontrant votre participation comme membre d'une association et les certificats témoignant de manière significative de votre cheminement professionnel.

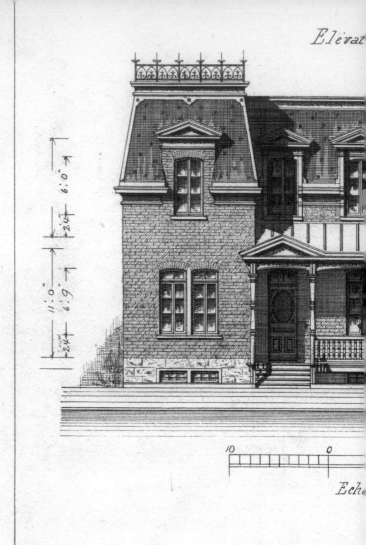

10    0

*Ech*

# MAISON DE THU

## A L

*A. Préfo*

# 7. LOGEMENT ET BIENS IMMOBILIERS

## BAUX ET AVIS DE MODIFICATION DE BAIL

Conserver pour la durée du bail. Il est recommandé de ne pas détruire le bail initial tant que l'on demeure au même endroit. Les conditions initiales pourront servir en cas de négociation d'un nouveau bail.

## CONTRATS D'ACHAT ET CONTRATS DE VENTE

Conserver les contrats d'achat et de vente.

## QUITTANCES DE TAXES

Conserver pendant trois ans après la date de la quittance. La municipalité ne peut exiger de paiement rétroactif au-delà de ce délai de trois ans.

Architecte ___

## FACTURES DE RÉPARATION ET D'ENTRETIEN

Conserver les factures aussi longtemps que vous êtes propriétaire de votre lieu de résidence. Par la suite, conserver les factures des travaux l'ayant modifié de façon significative.

## CONTRATS D'ASSURANCES

Conserver ces documents aussi longtemps que vos assurances ne seront pas remplacées.

## RÉCLAMATIONS

Conserver vos réclamations aussi longtemps qu'elles n'ont pas fait l'objet d'un règlement.

## CERTIFICATS DE GARANTIÉ

Conserver les certificats aussi longtemps que la garantie est en vigueur.

## PLANS ET DESSINS ARCHITECTURAUX

Conserver les plans et les dessins architecturaux de vos résidences.

igne AB

3"×12"

3×5

3×9"

2.0

2.6

10

24

la ligne CD

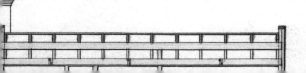

# GAR

## PREMIÈRE ANNÉE

_____ garantit le remplacement ou la réparation
vice de matières ou de fabrication, à l'exception de
de la date d'achat. Ces pièces seront réparées ou
des conditions stipulées ci-dessous.

La garantie contre les vices que présentent les pièc
date d'achat. La garantie ne couvre pas le remplace

Le MARCHAND s'engage à offrir pendant un an
réparation ou le remplacement de toutes les pièce
ou de fabrication, sous réserve des conditions stipu
haut

## DE LA DEUXIÈME À LA CINQUIÈME

_____ garantit les plaques-fonte, les éléments
contre tout vice de matières ou de fabrication pe
pièces seront réparées ou remplacées sans frais, a
main-d'oeuvre et de transport, sous réserve des co

## CONDITIONS

1. Cette garantie ne s'applique que si l'appareil est
   famille, installé adéquatement selon les directiv
   d'électricité approprié: Cette garantie sera nulle
   attribuables à une utilisation abusive, un acc
   signalétique est modifiée, oblitérée ou enlevée.
   doit être effectué par un réparateur autorisé de

# 8. BIENS MOBILIERS

## CONTRATS D'ACHAT

Conserver les contrats d'achat aussi longtemps
que vous êtes propriétaire du bien.

## FACTURES DE RÉPARATION ET D'ENTRETIEN

Conserver les factures pendant six mois ou pour
la durée de la garantie. Vous pouvez conserver
celles qui présentent un intérêt exceptionnel à vos
yeux (restauration d'un meuble précieux,
d'une pièce de collection ou d'une antiquité).

## CERTIFICATS DE GARANTIE ET D'AUTHENTICITÉ

Conserver les certificats de garantie aussi longtemps
que celle-ci est en vigueur. Vous pouvez conserver
les certificats de garantie ou d'authenticité qui
présentent un intérêt exceptionnel
à vos yeux (restauration d'un meuble précieux,
d'une pièce de collection ou d'une antiquité).

## CONTRATS DE LOCATION
Conserver les contrats de location aussi longtemps que vous louez le bien.

## CONTRATS D'ASSURANCES
Conserver les contrats d'assurances aussi longtemps qu'ils ne sont pas remplacés.

## RÉCLAMATIONS
Conserver vos réclamations aussi longtemps qu'elles n'ont pas fait l'objet d'un règlement.

## MODES D'EMPLOI ET GUIDES D'ENTRETIEN
Conserver les modes d'emploi et documents connexes aussi longtemps que vous êtes propriétaire du bien.

Appuyer sur la FLÈCHE HAUT pour un rôti

# RENCE RAPIDE

TION ET D'ENTRETIEN qui accompagne le four.

ntionnel

> ## REMARQUES
> **TABLEAU DE COMMANDES DU FOUR :**
> - S'assurer que l'horloge soit réglée avant d'effectuer toute opération minutée.
> - La touche OFF annule tout réglage du four.
>
> **AUTONETTOYAGE :**
> - Essuyer l'excès de graisse ou les renversements avant d'effectuer les programmations.
> - Lorsque le cycle d'autonettoyage est terminé, laisser le four refroidir durant 30 minutes supplémentaires avant de pousser le levier vers l gauche et d'ouvrir la porte.

ttoyant

|  | REMARQUES |
|---|---|
| les. | Régler l'horloge de nouveau si les chiffres indiquant l'heu clignotent après une panne de courant. Appuyer sur les FLÈCHES HAUT/BAS pour des tranches 1 minute. Appuyer et maintenir les FLÈCHES HAUT/BAS pour des tranches de 10 minutes. |
| utonettoyant). s. K/TIMER | L'écran affiche le nombre d'HEURES et de MINUTES qui restent. Durant la dernière minute, l'écran affiche le nom de SECONDES qui restent puis sonne à la fin du cycle. Pour annuler le compte à rebours, appuyer sur la FLÈCH BAS jusqu'à ce que l'écran indique 0:00. |
| CHES | Le voyant de cuisson (BAKE) s'allume. Durant la cuisson, appuyer sur les FLÈCHES HAUT/BAS pour augmenter ou réduire la température de cuisson. |
| de. | Le voyant de rôtissage (BROIL) s'allume. Durant le rôtissage, appuyer sur les FLÈCHES HAUT/B' |

 HAPLANTES

Reçu

0 6 NO

DR

IRECTION RESS FINANCIE
ISONNEUVE EST NIVEAU 4
QC

| xpédiée | Client/Alphaplantes |
|---|---|
| | 2 – |
| | Nº de référence/Alphaplante |
| | G9 |

ANTES INTÉRIEURES POUR LE

**9. SERVICES Professionnels ET ENTREPRISES DE SERVICE**

## CONTRATS, FACTURES (téléphone, câble, Internet, électricité, mazout, gaz naturel, etc.) ET NOTES D'HONORAIRES (médecin, dentiste, opticien, avocat, paysagiste, etc.)

Conserver vos contrats, factures et notes d'honoraires pendant trois ans. Le coût de certains services étant déductible des impôts, il pourrait être nécessaire de garder ces documents pendant six ans.

Vous pouvez conserver, pour référence ultérieure, un spécimen de contrat, de facture et de note d'honoraires professionnels témoignant du fait que vous avez utilisé les services de certains professionnels et d'entreprises de service.

No. 2 4

T

# EQUIT

## LIFE ASSUR.

### OF THE U

120 BROA

Assuran

# 10. REVENUS, ÉPARGNE ET PLACEMENTS

## DÉCLARATIONS DE REVENUS ET DOCUMENTS CONNEXES

Conserver les documents connexes et les déclarations de revenus pendant six ans. À la suite de ce délai, conserver uniquement les déclarations et détruire les documents connexes (les pièces justificatives telles que les factures, les relevés, etc.).

## BORDEREAUX DE PAIE

Conserver les bordereaux de paie pendant six ans.

## ASSURANCE EMPLOI (ASSURANCE SALAIRE)

Conserver les documents relatifs à l'assurance emploi six ans après le règlement de toutes les réclamations.

## RELEVÉS DE PENSION DE LA SÉCURITÉ DE LA VIEILLESSE

Conserver les relevés de pension dc la Sécurité de la vieillesse pendant six ans.

# CAISSE SCOLAIRE

### COTISATIONS OU RÉCLAMATIONS AU RÉGIME DE RENTES DU QUÉBEC

Conserver vos relevés pour la durée de la cotisation et jusqu'au règlement de toutes les réclamations.

### ALLOCATIONS FAMILIALES

Conserver les documents relatifs aux allocations familiales pendant six ans.

### COTISATIONS ET RÉCLAMATIONS AUX RÉGIMES ENREGISTRÉS D'ÉPARGNE—RETRAITE (REER) ET D'ÉPARGNE—ÉTUDES (REEE)

Conserver vos relevés pour la durée de la cotisation et jusqu'au règlement de toutes les réclamations.

### DÉPÔTS ET PLACEMENTS

Conserver les relevés de placements aussi longtemps qu'ils ne sont pas échangés.

### CONTRATS D'ASSURANCE VIE

Conserver vos contrats pour la durée de la police et jusqu'au règlement de toutes les réclamations.

| DÉPÔTS — INTÉRÊTS | | SOLDE |
|---|---|---|
| IN * | .10 | * .10 |
| IN * | .10 | * .20 |
| IN * | 2.00 | * 2.20 |
| IN * | 2.00 | * 4.20 |
| IN * | 2.39 | * 6.59 |
| * | .18 | * 6.77 |
| IN * | 1.00 | * 7.77 |
| IN * | .50 | * 8.27 |
| * | .18 | * 8.45 |
| IN * | .25 | * 8.70 |
| IN * | 2.00 | * 10.70 |
| * | .36 | * 11.06 |
| IN * | .25 | * 11.31 |
| IN * | .32 | * 11.63 |
| IN * | .25 | 11.88 |

## ACTE DE
## (Taux fixe

Ce quatorzi
(2003).

**DEVANT** _____
de Québec, à Montréa

Minute no: 10,734

**COMPARAISSENT :**

**BANQUE ROYALE D**
Canada, ayant son s
Québec, H3C 3A9 ; re
services financier
boulevard Maurice
H1E 1M5;------------

dûment autorisé(e) a
conseil d'administrati

dont l'adresse a été i
des droits de la circo
devra être porté en re

**(la "Banque")**

<u>ET</u>

# 11. PRÊTS

## HYPOTHÈQUES, PRÊTS PERSONNELS ET MARGES DE CRÉDIT

Conserver les documents relatifs à vos prêts aussi longtemps qu'ils ne sont pas remboursés ou tant que les marges de crédit sont en vigueur.

## QUITTANCES DE DETTES ET DE PRÊTS HYPOTHÉCAIRES

Conserver vos quittances de dettes et de prêts hypothécaires pendant six ans à compter du dernier paiement.

| LS | INIT. | DEBIT | | CR |
|---|---|---|---|---|
| | | | | |
| | | | | 16 |
| | | | | |
| | | | | 500 |
| | | | | |
| | | 138 | 25 | 1 |
| | | | | 13 |
| | | 352 | 50 | |
| | | | | 45 |
| | | 692 | 56 | |
| m | | 18 | 50 | |
| | | | | 1 |
| | | | | 6 |

# 12. OPÉRATIONS BANCAIRES

**RELEVÉS DES OPÉRATIONS BANCAIRES ET DES TRANSACTIONS ÉLECTRONIQUES**

Conserver vos relevés des opérations pendant six ans.

**RELEVÉS DES ACHATS ET DES SERVICES PAYÉS PAR CARTE DE CRÉDIT**

Conserver vos trois derniers relevés mensuels.

**CHÉQUIERS ET CHÈQUES**

Conserver vos chèques et chéquiers pendant six ans.

COMPA... ...L DE
AP...
SAN SE

# PRÉCAUTIONS

Nous vous suggérons de prendre quelques précautions pour assurer la conservation de vos documents. Certaines d'entre elles nécessitent l'utilisation de matériel sans résidu acide (pH neutre) – boîtes, chemises, enveloppes, papier intercalaire – vendu chez les détaillants de fournitures d'artiste et d'articles de bureau.

Les documents supportent mal la chaleur et les rayons du soleil. Ils sont également sensibles à la poussière et détestent les écarts de température. De plus, il faut éviter l'utilisation de trombones, d'élastiques, d'agrafes et de pinces métalliques qui endommagent les documents. Nous vous conseillons de les ranger dans des classeurs, des boîtes ou des chemises sans résidu acide et de format approprié. Au besoin, vous pouvez protéger vos documents les plus fragiles en insérant entre eux un papier de soie sans résidu acide.

## GRANDS FORMATS

Les documents de grand format, tels les plans, les dessins architecturaux, les diplômes et les grandes photographies, doivent idéalement être rangés à plat dans des chemises sans résidu acide, ce qui évite la formation de plis ainsi que les déchirures.

À défaut de pouvoir ranger les documents de grand format à plat, il est possible de les enrouler autour d'un tube de carton enrobé d'une pellicule de polyester de bonne qualité (pH neutre) et de les recouvrir d'un sac de plastique de façon à les protéger contre la saleté et le frottement. Cependant, les photographies ou les documents cartonnés ne peuvent être enroulés puisqu'ils se briseraient.

## PHOTOGRAPHIES, DIAPOSITIVES ET NÉGATIFS

Les photographies et les diapositives doivent être rangées de préférence dans des albums faits de papier sans résidu acide et non dans des albums constitués de pages collantes ou autoadhésives. De plus, évitez l'utilisation de colle et de ruban adhésif qui endommagent de façon permanente les photographies et les diapositives.

Tentez de déterminer la date de la photographie ou de la diapositive, les personnes et l'événement en question et inscrivez l'information sur la chemise ou le contenant protecteur plutôt que sur la photographie ou la diapositive elle-même. Si cela s'avère impossible, écrivez délicatement les renseignements au dos de la photographie ou sur le cadre de la diapositive en utilisant un crayon à mine de plomb.

Nous vous recommandons de séparer les photographies comportant des inscriptions ou des étiquettes autocollantes à l'aide de papier intercalaire sans résidu acide. Vous éviterez ainsi leur altération par les restes d'encre ou de colle. Si, à l'inverse, elles sont exemptes d'inscriptions ou d'étiquettes autocollantes, placez l'image de chaque photographie contre le dos de la photographie voisine, évitant ainsi que les images se retrouvent face à face.

Enfin, pour assurer la préservation des négatifs, nous vous suggérons de les conserver dans des enveloppes sans résidu acide.

## VIDÉOCASSETTES ET SUPPORTS NUMÉRIQUES

Les ordinateurs personnels, les numériseurs et les caméras numériques facilitent grandement la production, la réception et l'envoi de documents (fichiers électroniques, courriels, photographies numériques). Comme la conservation de vos documents numériques est étroitement liée à l'évolution rapide de l'équipement technologique et à la durabilité des supports de conservation, il est important de sélectionner le bon support et de réévaluer votre choix en fonction des changements technologiques.

Par mesure de précaution, il est fortement recommandé de faire au moins une fois par année une copie de sécurité des documents conservés dans votre ordinateur sur un autre support numérique (CD ou DVD). Vous pouvez également imprimer les documents jugés les plus importants (carnets d'adresses électroniques, curriculum vitæ, etc.).

Les vidéocassettes doivent être rangées, idéalement dans un boîtier protecteur, en position verticale (debout comme un livre) et leur ruban entièrement bobiné d'un côté. Il faut également conserver les vidéocassettes à au moins 10 centimètres des champs magnétiques : vous devez éviter, par exemple, de les ranger à proximité de haut-parleurs ou d'un téléviseur.

Si les CD et les DVD ont succédé aux cassettes sonores et aux vidéocassettes ainsi qu'aux disques en vinyle, ces nouveaux supports restent fragiles et vulnérables. Ils exigent d'être entretenus et manipulés avec soin, notamment en évitant de toucher aux surfaces gravées.

Les CD et les DVD craignent l'humidité, la poussière et les grands écarts de température. Il est conseillé de les ranger en position verticale (debout comme un livre) dans un endroit sec à température stable et d'utiliser des boîtiers en plastique de bonne qualité. Pour nettoyer les CD et les DVD, il suffit de faire glisser un chiffon sur leur surface depuis le centre vers l'extérieur. Évitez autant que possible de les déposer directement sur toute surface.

Vous voulez mettre de l'ordre dans vos CD et vos DVD ? Indiquez ce qu'ils contiennent à l'aide d'un marqueur sans solvant, à base d'eau et à pointe fine, et écrivez uniquement sur la surface non inscriptible, soit la partie centrale. Apposer des étiquettes sur les supports numériques est vivement déconseillé puisqu'elles peuvent facilement se détacher et abîmer le lecteur ou la surface du disque.

# COMMENT DÉTRUIRE LES DOCUMENTS COMPORTANT DES RENSEIGNEMENTS CONFIDENTIELS

Lorsque vos documents ne répondent plus à vos besoins, il est tentant d'en disposer en les déposant simplement dans le bac de recyclage. Mais attention, vos documents peuvent contenir des renseignements confidentiels et votre bac de recyclage peut alors attiser la convoitise de fraudeurs spécialisés dans le vol d'identité. Afin d'éviter les risques de fraude, vos relevés bancaires, vos reçus de restaurant, vos factures de téléphone et vos relevés d'achat par carte de crédit qui contiennent des renseignements de nature nominative doivent être déchiquetés.

Certaines villes organisent des «journées de déchiquetage» permettant aux citoyens de se départir de leurs documents. Les forces policières et d'autres intervenants profitent d'ailleurs de ces occasions pour prodiguer des conseils sur les façons de se protéger contre l'usurpation d'identité.

# VOS ARCHIVES PEUVENT INTÉRESSER LES SPÉCIALISTES

Vos documents présentent-ils un intérêt historique régional ou national ? Les archivistes de BAnQ peuvent vous conseiller et vous informer des démarches à suivre pour céder vos archives à BAnQ ou à une société d'histoire ou de généalogie de votre région. **Ils répondront également aux questions liées à la conservation de vos documents personnels et familiaux.** Communiquez avec le centre d'archives de votre région.

# LES CENTRES D'ARCHIVES DE BAnQ

## CENTRE D'ARCHIVES DE L'ABITIBI-TÉMISCAMINGUE ET DU NORD-DU-QUÉBEC

27, rue du Terminus Ouest
Rouyn-Noranda (Québec) J9X 2P3
Tél. : 819 763-3484
Téléc. : 819 763-3480
Courriel : anq.rouyn@banq.qc.ca

## CENTRE D'ARCHIVES DU BAS-SAINT-LAURENT ET DE LA GASPÉSIE-ÎLES-DE-LA-MADELEINE

337, rue Moreault
Rimouski (Québec) G5L 1P4
Tél. : 418 727-3500
Téléc. : 418 727-3739
Courriel : anq.rimouski@banq.qc.ca

## CENTRE D'ARCHIVES DE LA CÔTE-NORD

700, boulevard Laure, bureau 190
Sept-Îles (Québec) G4R 1Y1
Tél. : 418 964-8434
Téléc. : 418 964-8500
Courriel : anq.sept-iles@banq.qc.ca

## CENTRE D'ARCHIVES DE L'ESTRIE

225, rue Frontenac, bureau 401
Sherbrooke (Québec) J1H 1K1
Tél. : 819 820-3010
Téléc. : 819 820-3146
Courriel : anq.sherbrooke@banq.qc.ca

## CENTRE D'ARCHIVES DE LA MAURICIE ET DU CENTRE-DU-QUÉBEC

225, rue des Forges, bureau 208
Trois-Rivières (Québec) G9A 2G7
Tél. : 819 371-6015
Téléc. : 819 371-6158
Courriel : anq.trois-rivieres@banq.qc.ca

## CENTRE D'ARCHIVES DE MONTRÉAL

535, avenue Viger Est
Montréal (Québec) H2L 2P3
Tél. : 514 873-1100
Téléc. : 514 873-2980
Courriel : anq.montreal@banq.qc.ca

## CENTRE D'ARCHIVES DE L'OUTAOUAIS

855, boulevard de la Gappe
Gatineau (Québec) J8T 8H9
Tél. : 819 568-8798
Téléc. : 819 568-5933
Courriel : anq.gatineau@banq.qc.ca

## CENTRE D'ARCHIVES DE QUÉBEC

Pavillon Louis-Jacques-Casault
Campus de l'Université Laval
1055, avenue du Séminaire
C. P. 10450, succ. Sainte-Foy
Québec (Québec) G1V 4N1
Tél. : 418 643-8904
Téléc. : 418 646-4254
Courriel : anq.quebec@banq.qc.ca

## CENTRE D'ARCHIVES DU SAGUENAY–LAC-SAINT-JEAN

930, rue Jacques-Cartier Est, bureau C-103
Saguenay (Québec) G7H 7K9
Tél. : 418 698-3516
Téléc. : 418 698-3758
Courriel : anq.chicoutimi@banq.qc.ca

## PORTAIL DE BAnQ : WWW.BANQ.QC.CA

## TÉL. SANS FRAIS : 1 800 363-9028

# BIBLIOGRAPHIE

## ARTICLES

BELLEMARE, Sylvie. «C'est dans le coffret», *Protégez-vous*, janvier 1990, p. 25-39.

PATENAUDE, Isabelle et Barreau du Québec. «Bye bye les vieux papiers», *Protégez-vous*, janvier 1997, p. 27-39.

## OUVRAGES

ARCHIVES NATIONALES DU QUÉBEC. *Normes et procédures archivistiques des Archives nationales du Québec. Sixième édition revue et augmentée,* Québec, Les publications du Québec, 1996, 191 p.

BÉDARD, Jacques, Sylvie FORCIER *et al. Que faire avec vos documents personnels?* Québec, Archives nationales du Québec, 1999, 16 p.

GAREAU, André. *Guide de gestion des archives d'entreprises,* Réseau des archives du Québec, 2003, 314 p.

HÉON, Gilles. *Comment classer vos archives personnelles et familiales : vos papiers : supports et témoins de la vie quotidienne,* Sillery, Association des archivistes du Québec, 2000, 51 p.

LOI SUR LES ARCHIVES (L.R.Q., chapitre A-21.1). Dernière version disponible. À jour au 1er juin 2008.

RAIFFAUD, Joël et Philippe RAIFFAUD. *Affaires classées : Comment gérer vos documents personnels,* Québec, Documentor, 1993, 176 p.

**ROIT Centre** | **THEATRE SA...**

AUG. **8** 1955

ORCHESTRE...
DE RA...
CBC TORONTO S...
MONDAY
Orchestre...
— TAX...

Nᵒ Q54...

## Relevé des travaux exéc...

(Ceci n'est pas une facture)

m _____  Nᵒ bon de travail _____
resse _____  Date 28 | 8 Hour | Mois
e _____  Code postal _____
vince _____  Nᵒ de téléphone ( )
pe de travail  ☒ Installation  ○ Estimation  ○ Pré-câblage  Nᵒ d'incident
○ Réparation  ○ Comp. Locale  ○ Garantie  F5OS
Plan d'entretien de câblage intérieur : ○ Client est abonné au plan
○ Plan vendu sur place

scription des activités du Service résidentiel | Code Mné | Activités | Prix unitaire ($) | Monta
stallation résidentielle : première activité facturable | IAI | | 65 ₀₀ |

### VISAS

Faites viser ces pages-souvenir
aux pavillons que vous visitez.

Have these souvenir pages stamp-
ed at the pavilions you visit.

PAVILLON DU TÉLÉPHONE

TELEPHONE PAVILION

한국관

KORÉE ←

18 mai 1967

Terre des Hommes — Man and his World
Labyrinthe — Labyrinth

...ON ON THE UNITED ...ATIONS
1ᵉʳ juin
EXPO 67
...UNIES

24 mai

MINISTERE DE L'EDUCATION

Bulletin scolaire 1965 - 1966

Cours élémentaire

LEVE _____
(nom et prénom au complet)

ge  6 ans
(au 30 juin 1965)  Degré  2 l'année

COMMISSION SCOLAIRE

THE

# EQUITABLE

## LIFE ASSURANCE SOCIETY

### OF THE UNITED STATES,

120 BROADWAY, N. Y.

Assurance on Life of

*C. A. Dansereau*

Amount, $ 12.00

Term, *Life*  20. a. P.

First Payment, $ 229.56

Policy,  $  1. 7

$ 230. 56

# 1977

CF — CFL

## OUPE GREY CU

Stade Olympique — Olympic Stadium
Montréal
che - 27 Nov., 1977 - 1:30 p.m. - Sunda
ionnat du football professionnel canadie
nadian Pro Football Championchip

# audiotape

*it speaks for itself*

# Notes

Notes

# Notes